CARROUSEL

PETIT ROMAN

COLLECTION
CONÇUE ET DIRIGÉE
PAR YVON BROCHU

LUCIE BERGERON

À PAS DE SOURIS

ILLUSTRATIONS
DOMINIQUE JOLIN

Données de catalogage avant publication (Canada)

Bergeron, Lucie, 1960-

À pas de souris

(Collection Carrousel)
Pour enfants.

ISBN: 2-7625-4110-7

I. Titre. II. Collection.

PS8553.E67834A8 1997 jC343'.54 C96-941067-0
PS9553.E67834A8 1997
PZ23.B47a 1997

Copyright © Les éditions Héritage inc. 1997
Tous droits réservés

Dépôts légaux: 1er trimestre 1997
Bibliothèque nationale du Québec
Bibliothèque nationale du Canada
Bibliothèque nationale de France

ISBN: 2-7625-4410-7 Imprimé au Canada

Direction de la collection: Yvon Brochu, R-D création enr.
Direction artistique: Dominique Payette
Conception graphique de la collection: Pol Turgeon
Graphisme: Diane Primeau
Conseillère: Thérèse Leblanc, enseignante
Correction-révision: Marie-Thérèse Duval

LES ÉDITIONS HÉRITAGE INC.
300, rue Arran, Saint-Lambert (Québec) J4R 1K5
Téléphone: (514) 875-0327
Télécopieur: (514) 672-5448
Courrier électronique: heritage@mlink.net

Les éditions Héritage inc. remercient le Conseil des Arts du Canada du soutien accordé à leur programme d'édition dans le cadre du programme des subventions globales aux éditeurs.

À ma nièce
Catherine

CHAPITRE 1
Le grand départ

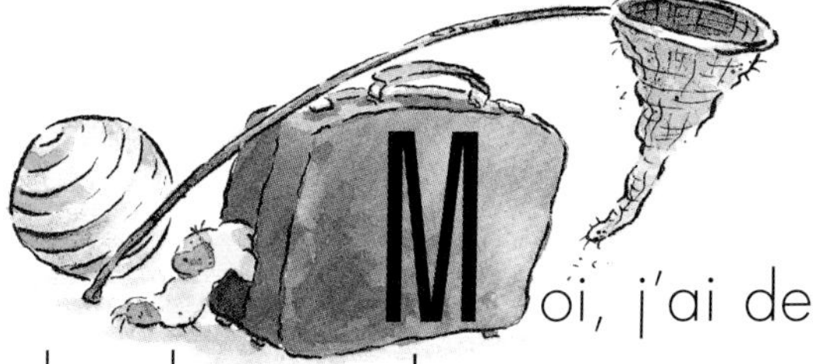

Moi, j'ai de la chance. Je commence mes vacances avant tout le monde. Je suis le plus heureux des garçons parce que, demain, je pars en voyage avec ma famille. Nous allons rouler et rouler. Maman dit que nous partons à l'aventure. J'ai hâte!

– Pierrot, t'es-tu occupé de Framboise?

Ma mère entre dans ma

chambre. Elle est essoufflée. C'est parce qu'elle court partout dans la maison pour préparer les bagages. Il ne faut rien oublier quand on s'absente longtemps, longtemps.

– Oui, j'ai laissé sa nourriture près de l'aquarium.

– Parfait! Grand-maman va venir nourrir ton poisson rouge.

Maman repart en coup de vent. De la chambre de mes sœurs, elle ajoute:

– Pierrooot! N'oublie pas d'aller confier Grignotine à

la voisine. Ta souris blanche ne peut pas rester à la maison durant notre absence.

D'un seul coup, je deviens triste. Moi, je n'ai pas envie de me séparer de mon amie. Je m'approche de la cage de Grignotine. Ma souris dort en boule dans son nid de chiffons gris. Je glisse mon petit doigt entre les barreaux. Je caresse sa tête.

– Pauvre Grignotine... Toute seule avec la voisine.

Soudain, mon cœur se met à battre très vite. Comme le cœur de ma petite souris. J'ai une idée. Je me demande: une souris blanche, est-ce que ça peut partir en voyage?

– Debout, mon Pierrot!

Maman a prononcé la phrase magique. Youpi! C'est ce matin qu'on part en voyage. Vite, je m'habille. Papa est sûrement déjà dehors.

Pour notre voyage, il a réparé sa vieille fourgonnette de camping. Il s'en servait quand il avait des cheveux longs comme une fille et une grosse barbe comme un homme. Maintenant, il a perdu ses cheveux. Mais il a gardé une moustache. Et sa grosse moustache brune devient toute blanche lorsqu'il boit un verre de lait. Moi, je n'aurai pas de moustache quand je serai grand.

De sous mon lit, je sors la cage de ma souris. Je l'ai cachée là hier soir. En me voyant, Grignotine lève son petit museau pointu. Elle grignote un morceau de fromage séché.

– Bravo, Grignotine! Fais le plein d'énergie.

Je replace la cage sous le lit. Juste derrière mon gros lion en peluche. Puis je cours à la cuisine. Je mords dans une poire et file vers la porte. Elle est ouverte. Mais je ne

peux pas passer. C'est bloqué! Par une énorrrrme montagne de bagages. Je décide de l'escalader. Je pose un pied sur une valise jaune. L'autre sur une boîte de carton. Je m'agrippe à un sac bleu. J'écrase un panier. Je m'étire... et passe par-dessus l'étui de guitare. Me voilà arrivé au sommet! De là-haut, je me laisse tomber dans les sacs de couchage. Yahou!

Je fonce vers la fourgonnette. Je la trouve très belle

avec sa couleur orangée. Maintenant, je vais y dormir et y manger avec ma famille. Comme dans une vraie maison. Je rejoins papa. Il se tient devant la fourgonnette avec un rouleau de corde. Il essaie de fixer sur le support les quatre vélos et le tricyle de ma sœur Valérie. Il coupe un bout de corde avec son canif noir.

– Papa? Le support, il penche vers la gauche.

– Je le sais, Pierrot.

– Papa, le nœud, là, il se défait.

– Où ça? demande mon père qui lève les yeux pour regarder.

AOUTCH!

Papa vient de se frapper la tête contre le vélo de ma grande sœur Isabelle. Plus exactement contre la pédale qui a une rangée de piquants en métal. Papa a cinq petits points rouges sur le dessus de la tête.

– Est-ce que ça fait mal, papa?

– Un peu, fiston. Mais j'ai la tête dure, dit-il avec son large sourire moustachu. Si tu veux m'aider, va chercher les bagages. Il faut se dépêcher si on veut partir tôt.

Je cours vers la porte d'entrée. Moi, j'aime ça rendre des services. Je prends six sacs de plastique bien remplis et je repars. Ouf! ils sont lourds. Je les traîne jusqu'à la fourgonnette.

– Pierrot, soulève les sacs, crie papa. Sinon, ils vont se déch...

Trop tard! Mes six sacs se déchirent. Pif! Paf! Les assiettes, les bols, les tasses roulent dans l'allée. Boum! Crac! La lampe de poche géante atterrit sur le sol. Splouche! Les sous-vêtements de papa tombent dans la boue. Catastrophe! Au secours...

J'entends alors un autre bruit. Il vient de la porte d'entrée. Quelqu'un bouscule la montagne de bagages qui dégringolent. C'est maman!

– Pas de panique, Pierrot. C'est un tout petit accident.

Puis elle s'adresse à mon père:

– On partira

seulement un peu plus tard. On est en vacances, hein, mon chéri?

Dans mon dos, j'entends papa répondre par un «hum-hum». Maman m'embrasse sur le front.

– Je vais nettoyer. Toi, va avec ton père. Il a besoin d'un homme fort pour les bagages.

D'une petite voix, je demande:

– Papa, tu veux encore que je t'aide?

CHAPITRE 2

Partira, partira pas?

Papa, je le trouve bon. Il a fait entrer la gigantesque montagne de bagages dans la fourgonnette. Papa, c'est un magicien! Et moi, je suis son assistant.

Nous sommes enfin prêts à partir.

– Tout le monde à bord! lance maman qui s'installe au volant.

Ma petite sœur Valérie s'assoit près de la fenêtre.

Elle me demande:

– Quand est-ce qu'on arrive?

– Attends, on n'est pas encore partis.

Mon gros lion sur les genoux, je la pousse un peu. Je manquais de place. Mais Valérie se met à pleurnicher. Ce qu'elle est bébé! Une fille de trois ans, c'est plus fragile qu'une bulle de savon. Au moins, elle n'aura pas mal aux fesses pendant le voyage. Car nous sommes assis sur une pile de sacs de couchage.

Papa ne trouvait plus d'espace pour les ranger. Il a donc déroulé les sacs sur le siège. C'est une idée formidable.

– Mon chéri? Nous t'attendons, dit maman à mon père.

Papa est sur le trottoir. Il parle avec madame Pampalon, notre voisine. Elle est venue nous souhaiter bon voyage. Papa lui serre la main, monte à l'avant, puis se retourne:

– Pierrot, mets Valérie dans

son siège et ton lion à l'arrière.

Je réponds d'une voix hésitante:

– No-on, je-je, je le garde.

– Comme tu veux.

Mon lion, je vais le garder avec moi. Tout le temps. Parce que c'est un lion très spécial. D'abord, il est tellement gros qu'il fait peur à ma petite sœur. Ça m'amuse! Et son ventre, c'est une grande poche fermée par trois boutons. Pleine d'air! Je peux y ranger un pyjama. Ou... autre chose, parfois.

– En avant, vers l'aventure! s'exclame maman.

Elle démarre la fourgonnette et commence à rouler.

– Maman, minute! Isabelle n'est pas avec nous.

– Oups!

Maman freine puis recule.

– Ta sœur fait si peu de bruit qu'il m'arrive de l'oublier. Va la chercher, Pierrot.

– Dépêche-toi, ajoute papa.

Mon lion sous le bras, je saute en bas de la fourgonnette. Je cours vers le perron. Le baladeur sur la tête, Isabelle lit. Ma grande sœur, elle ne

fait que ça dans la vie: lire des romans et écouter sa musique. Elle n'entend rien, elle ne voit rien. Tant pis pour elle.

Je l'attrape par le bras et l'entraîne jusqu'à la fourgonnette. Je m'assois à ma place, au milieu. Isabelle attache sa ceinture tout en continuant à lire. Elle, rien ne la dérange.

Papa soupire:

– Bon, tout le monde est installé? On part, avec seulement un retard de trois heures.

– Mon chéri...

– Je sais, ma chérie, on est en vacances.

Ça y est! Le voyage commence. Notre maison roulante va nous emmener très loin. C'est excitant! Comme le matin où je suis allé chercher ma souris à l'animalerie. Au bout de la rue, nous tournons à droite. Papa et maman commencent à jouer au jeu des questions, leur passe-temps favori.

– La bouilloire?

– Débranchée.

– Les fenêtres?

– Fermées.

– La porte de derrière?

Papa ne répond pas.

– Mon chéri, l'as-tu verrouillée?

– Euh... je ne m'en souviens plus.

– On retourne!

Papa est mécontent. Il pianote sur sa cuisse. Très vite.

Dès que nous arrivons, je n'attends pas qu'on me le demande: je décide d'aller vérifier. Je bondis hors de la fourgonnette et j'entends:

– Avez-vous fait un beau voyage?

C'est madame Pampalon, la voisine. Papa dit que l'horloge dans sa tête est un peu

déréglée. Madame Pampalon, elle ne sait plus calculer le temps qui passe. Je ne veux pas lui faire de la peine. Je réponds donc:

– Oui, oui, un beau voyage!

Je fonce vers la cour. Je tourne la poignée de la porte de derrière et donne un coup d'épaule dans le panneau de bois. La porte n'ouvre pas. Je repars à la course vers la fourgonnette.

– Elle était verrouillée.

– Tant mieux! Allons-y!

Je m'assois entre mes sœurs. Isabelle lit, Valérie tient une branche de céleri. Valérie regarde par la fenêtre et dit:

– Pierrot, quand est-ce qu'on arrive?

– Dans très longtemps.

Nous tournons pour la deuxième fois à droite. Valérie soupire et croque son céleri. Maman demande:

– Valérie? D'où vient ce céleri?

– Du frigo, maman.

D'un ton très patient, maman demande encore:

– Valérie, as-tu refermé la porte du réfrigérateur après avoir pris ton céleri?

– Je sais pas.

– Pense très fort, Valérie.

Valérie plisse les yeux, fronce le nez et répond:

– Non, maman.

– Demi-tour! lance ma mère.

CHAPITRE 3
Grand-maman gâteau

J'entre dans la maison. Papa m'a donné la clé pour ouvrir. Il me fait confiance. Ma mission: refermer la porte du réfrigérateur. C'est facile!

Je sais que je dois me dépêcher. Mais je n'ose pas courir. Car le silence est trop fort. Je n'entends aucun bruit. On dirait que la maison n'est pas comme avant. Je serre mon lion contre moi pour me

rassurer. À la cuisine, la porte du frigo est grande ouverte. Ma petite sœur a une mauvaise habitude: elle oublie toujours de refermer les portes. Même celle des toilettes. Le réfrigérateur est presque vide. Dans une soucoupe, il y a un morceau de fromage séché. Je le prends. Je déboutonne la poche de mon lion et j'y laisse tomber le fromage.

Tout à coup, la sonnerie du téléphone résonne dans la maison. Ouf! j'ai fait un saut.

J'ai failli laisser échapper mon lion. Je ne sais pas si je dois répondre. Mais ça sonne toujours. Encore et encore. Alors, je décroche. Un peu inquiet, je dis:

– Allô, c'est qui?

Une voix chaude comme le soleil me répond:

– Pierrot? C'est grand-maman! Je suis heureuse de te parler avant que tu partes pour ton long voyage.

Je bredouille:

– Euh... on est déjà partis.

Enfin, pas tout à fait. C'est que...

Grand-maman me coupe la parole pour m'annoncer qu'elle a préparé un gâteau aux pépites de chocolat. Elle veut que maman vienne le chercher.

– D'accord, je fais le message.

Je raccroche. Je ferme toutes les portes, puis je sors de la maison. Aussitôt, j'entends la voix de la voisine:

– Avez-vous fait un beau voyage, mon petit Pierrot?

– Très, très beau, madame Pampalon.

Arrivé à la fourgonnette, je saute par-dessus les longues jambes de ma sœur Isabelle. Je déclare:

– Grand-maman a téléphoné. Elle a un gâteau pour nous.

Papa rouspète:

– Encore un autre détour! On n'y va pas.

– Je VEUX du gâteau, hurle ma petite sœur.

Maman se tourne vers papa.

– Voyons, mon chéri, ta mère veut nous rendre service. Et elle habite tout près.

– D'ac... cord, fait papa en croisant les bras d'un geste impatient.

– On va avoir du gâteau, du gâteau! crie Valérie. Hé! Pierrot, quand est-ce qu'on arrive... chez grand-maman?

CHAPITRE 4
Pas vite, pas vite!

Grand-maman jardine. Elle nous attend. Chez le voisin, des ouvriers travaillent. Je descends chercher le gâteau. Papa m'a demandé d'être poli. Je dois dire «bonjour» et «merci». Puis je file vers la fourgonnette.

Mais grand-maman a préparé de la citronnade pour toute la famille. Alors, toute la famille descend de la

fourgonnette. Moi, j'en profite pour disparaître. Je vais me cacher derrière un arbuste. Doucement, j'ouvre la poche secrète de mon lion. Surprise! Le museau pointu de ma souris Grignotine vient respirer l'air frais. Je colle mon nez sur son museau. Ha, ha! Ses longues moustaches blanches me chatouillent les narines. Je chuchote:

– C'est amusant, les voyages, hein, Grignotine? Continue de rester tranqui...

Oh! quelqu'un approche. Je

referme la poche de mon lion. C'est grand-maman. Elle m'invite à manger. Toute la famille a faim. Sauf papa. Lui, il ne pense qu'à partir.

Grand-maman me prépare un sandwich «trois étages». Je le dévore. Je regarde les ouvriers réparer la maison du voisin. Ils fixent des planches avec de gros clous.

– C'est l'heure! lance papa.

Mon père grimpe dans la fourgonnette, s'installe au volant et recule jusqu'à la rue. Il baisse sa vitre et crie:

– Nous partons!

Tout le monde

s'embrasse. Moi, je vais chercher ma grande sœur Isabelle. Elle lit sur la balançoire. Je ne veux pas qu'on l'oublie. Nous regagnons nos places. Papa donne trois coups de klaxon pour saluer grand-maman. Puis il accélère. Huit maisons plus loin, il s'arrête. Il coupe le contact et descend.

– On est arrivés? demande ma petite sœur.

– Sûrement pas. Je vais voir, d'accord, maman? Papa peut avoir besoin de moi.

– Vas-y, Pierrot.

Je sors avec mon lion. Papa examine le

pneu avant droit. Il m'explique:

– On dirait que le pneu est un peu mou.

Papa se penche. Il regarde le pneu de plus près. Je me mets à quatre pattes. Je regarde le pneu, moi aussi.

– Là, papa! Là, on dirait un clou.

– Mais non, fiston, c'est un caillou.

Aussitôt papa sort son canif. Il essaie d'enlever le caillou du pneu. Il tire, il pousse. C'est difficile. Papa a chaud. À genoux sur le trottoir, il essaie encore. Mon père, il

n'abandonne jamais. Il tiiiire. Et il réussit! Au même moment, j'entends un Pschhhht... Oh oh! on dirait que le pneu se dégonfle. Je regarde papa. Dans une main, il tient son canif. Dans l'autre, un clou. Un clou énorme.

– Je te l'avais dit, papa! À côté de chez grand-maman, il y avait des ouvriers, et plein de clous partout.

Papa est déjà debout. Les dents serrées, il se dirige vers l'arrière de la fourgonnette. J'en profite pour confier à mon lion que je caresse:

– Pour une fois que c'est moi qui avais raison.

Puis je vais rejoindre papa. Son visage est tout blanc. Comme ma souris. Il se lamente:

– Ah là là! J'ai oublié de faire réparer la roue de secours. Son pneu est mou, lui aussi.

Papa pousse un soupir, aussi long qu'un pneu qui se dégonfle. Pauvre papa... Il remonte dans la fourgonnette. Je le suis. Il claque fort la portière. Papa est de mauvaise humeur.

Le garage est très loin d'ici. Mais, dans

notre remise, il y a une vieille roue de secours. Nous retournons donc à la maison, une fois de plus. La fourgonnette penche du côté droit. Le pneu est de plus en plus mou. Nous roulons lentement, très lentement. Tout le monde nous dépasse. Même les vélos.

Enfin, voilà la maison. Claque la portière! Papa bougonne. Il marche vers la remise. Par la fenêtre ouverte, j'entends:

– Avez-vous fait un beau voyage?

Encore madame Pampalon!

Mais mon père ne lui répond pas.

CHAPITRE 5

Dans le ventre de mon lion

Papa ne peut pas changer la roue. Car il ne trouve pas son coffre à outils. Alors, je l'aide à vider la fourgonnette. Toute la montagne de bagages se retrouve sur le trottoir: les boîtes, les sacs, les valises. Papa a le visage tout rouge. Comme les yeux de ma souris.

Un cri aigu stoppe nos recherches. C'est Valérie! Elle jouait avec sa poupée dans la fourgonnette. Et elle s'est frappé l'orteil contre un gros coffre. Papa est content: grâce à ma petite sœur, il a trouvé ses outils. Il peut changer sa roue. Mais, moi, je suis à côté de Valérie qui crie de plus en plus fort. Ma sœur Isabelle n'entend rien de tout ça. Elle a toujours son baladeur sur la tête. Pour une fois, je prendrais bien sa place.

– Tu viens au garage, Pierrot?

Ouf! Mon père me sauve la vie. Je saute dans la fourgonnette, mon lion sur l'épaule. Nous nous éloignons. Les autres restent à la maison. Au garage, nous devons attendre notre tour. Papa regarde souvent sa montre. C'est l'après-midi. Et papa voulait partir ce matin, très tôt. Je pense qu'il est déçu. Je

trouve aussi que c'est un drôle de voyage. Mais je ne m'ennuie pas. Car j'ai ma souris et mon lion, toujours avec moi.

Sur le chemin du retour, papa m'achète une orangeade. Un cadeau de voyage, qu'il me dit. Je lui souris et l'embrasse sur la joue. J'espère que ça va l'encourager. Il a la mine longue. Comme Grignotine quand elle n'a plus de fromage.

À la maison, toute la

famille aide à replacer les bagages. Le plus vite possible! Isabelle ferme même son livre pour ranger deux valises.

– Cette fois, c'est la bonne! lance papa.

Avec un grand sourire, mon père reprend le volant. Moi, je reprends ma place entre mes deux sœurs. Mon lion posé sur mon cœur.

Joyeux, papa sifflote. Enfin, nous roulons sur l'autoroute. Le voyage est commencé pour de bon. J'entends même

des sirènes de police. Sûrement la police des autoroutes. D'ailleurs, une puissante moto de police nous dépasse. Hein? Le policier fait signe à papa de ralentir. Pourquoi? Mon père se range sur le côté de la route. La moto de police s'arrête devant la fourgonnette. Le policier en descend. Il fait le tour de notre maison roulante. Il s'immobilise près de la portière de papa. Mais qu'est-ce qu'on a fait? Mon père baisse sa vitre. D'une petite voix, il demande:

– Qu'est-ce qui se passe, monsieur l'agent?

– C'est à vous, ça?

Le policier agite un bout de tissu sous le nez de papa. Papa rougit jusqu'aux oreilles. Maman rigole. Et moi, les yeux ronds, je reconnais le maillot de bain fleuri de maman!

– C'est à vous, ça? répète le policier.

Mon père bredouille:

– Ou-oui, à moi, euh! non, c'est à ma femme.

Le policier au gros casque de moto ajoute:

– Il battait

au vent à l'arrière. Vous auriez pu le perdre... Maintenant, montrez-moi vos papiers! Vous rouliez trop vite.

Papa cherche ses papiers. Dans son blouson et sa chemise. Dans son pantalon, dans le coffre à gants. Mais papa ne trouve pas ses précieux papiers. Maman essaie de l'aider. Elle dit au policier:

– Mon mari a dû les oublier à la maison.

Le policier a l'air fâché. Il sort un carnet, écrit des mots ici et là. Il arrache une feuille et la donne à papa, avec le maillot. Puis il se dirige vers sa moto et démarre.

Papa appuie son front contre le volant. Il s'exclame:

– Quelle journée! Une contravention à payer et encore un retour au point de départ pour trouver ces fichus papiers. J'en ai ASSEZ.

– Changeons de place, mon chéri. Je vais conduire.

– Papa, quand est-ce qu'on arrive?

– Chuuuut, Valérie, papa est fatigué.

Et nous repartons chez nous.

À la maison, papa et maman mettent tout sens dessus dessous. Ils fouillent. Puis nous déchargeons les bagages.

Encore une fois! Parce que papa a eu un éclair de génie. Ses précieux papiers sont dans un pantalon au fond d'un sac. Mais papa ne sait pas dans quel sac.

Moi, je commence à être très fatigué. Je monte dans la fourgonnette pour me reposer. De ma place, je vois madame Pampalon dans sa cuisine. Elle va sûrement sortir bientôt pour nous poser sa question. Comme je suis seul, j'ouvre la poche de mon lion. Grignotine dort au milieu de ses chiffons gris. Ma souris, elle a toujours de bonnes idées. Quand on dort, le temps passe plus vite.

Un hurlement me fait sursauter. Je regarde autour de moi. Nous roulons de nouveau sur l'autoroute. On dirait bien que j'ai dormi.

Valérie hurle encore plus fort:

– Maman! Maman! Le lion de Pierrot, il bouge tout seul. Il avance.

– QUOI?

Je réplique aussitôt:

– Non, non, ce n'est pas vrai.

Je serre mon lion contre moi. Très fort. Trop fort... Ma souris Grignotine pousse un

petit cri.

– Pierrooot? Montre-moi ce que tu caches dans ton lion. Ouvre la poche.

Je ne veux pas l'ouvrir. Je ne veux pas que maman découvre mon secret. Mais maman me regarde d'un air sévère. Alors, lentement, je déboutonne la poche de mon lion. Les yeux pétillants, ma souris sort la tête. Elle grimpe sur mon bras.

– Ah! c'était Grignotine! dit ma petite sœur, rassurée.

– Pierrot, tu devais laisser

Grignotine à la voisine. Une souris, ça ne peut pas partir en voyage. Elle peut mourir loin de chez elle. On doit la ramener à la maison.

Au volant, papa n'est pas content. Oh! là là! Il devient tout rouge, puis tout blanc. Et enfin d'un beau rose. Comme le museau de ma souris. Est-ce que sa colère est déjà finie? Mais oui! Il éclate de rire:

–J'ai compris, on fait demi-tour. C'est incroyable! Ce

n'est sûrement pas la bonne journée pour voyager.

Je caresse ma souris. Je suis triste. Je vais m'ennuyer sans ma Grignotine. Heureusement, la voisine va bien la nourrir. Madame Pampalon ne reconnaît peut-être plus les heures. Mais elle connaît les fromages! Elle en raffole, comme Grignotine.

CHAPITRE 6

Une question...

De retour à la maison, papa et maman commandent du poulet frit par téléphone. Nous mangeons dans la fourgonnette. Oui, oui! sur notre petite table. Sauf ma grande sœur Isabelle. Elle mange dehors. Elle lit, devant les phares allumés.

Soudain, j'aperçois par une petite fenêtre la souriante tête de madame Pampalon.

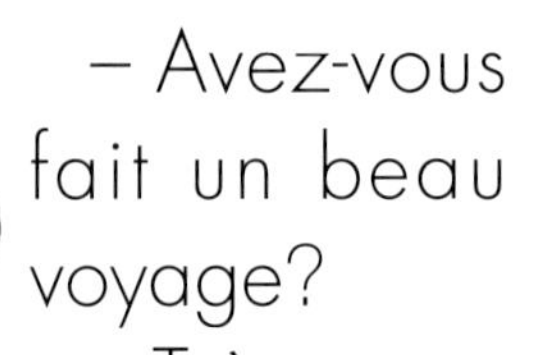

– Avez-vous fait un beau voyage?

– Très mouvementé, répond mon père, les yeux rieurs. Et après le repas, nous repartons. Justement, Pierrot doit vous confier sa souris blanche. Fiston, va chercher la cage.

Le cœur gros, j'entre dans la maison. Je me rends jusqu'à ma chambre. Je sors Grignotine de mon lion et la dépose dans sa cage. Tout de suite, ma souris saute dans sa roue d'exercice. Elle

tourne vite, vite. Je pense qu'elle en avait besoin. C'est peut-être vrai qu'une souris blanche peut mourir si elle est trop loin de sa maison.

Mon lion dans les bras, je réfléchis. Avec attention, je regarde Framboise qui nage dans son aquarium. Une question me trotte dans la tête.

Je me demande: un poisson rouge dans un bocal, est-ce que ça peut partir en voyage?

COLLECTION CARROUSEL

MINI ET PETITS

1 Le sixième arrêt
2 Le petit avion jaune
3 Coco à dos de croco
4 Mandarine
5 Dans le ventre du temps
6 Le plus proche voisin
7 D'une mère à l'autre
8 Tantan l'Ouragan
9 Loulou, fais ta grande!
10 On a perdu la tête
11 Un micro s.v.p.!
12 Gertrude est super!
13 Billi Mouton
14 Le magasin à surprises
15 Un petit goût de miel
16 Mon ami Godefroy
17 Croque-cailloux
18 Tu en fais une tête!
19 Bzz Bzz Miaouuu
20 La muse de monsieur Buse
21 Le beurre de Doudou
22 Choupette et son petit papa
23 À pas de souris
24 Mastok et Moustik

Achevé d'imprimer
en février 1997
sur les Presses de
Payette & Simms
Inc. à Saint-Lambert
(Québec)